W9-BPR-056

Kyoto Gardens

京都の名園

庭

山本建三

Kenzo Yamamoto

SUIKO BOOKS

■目次 CONTENTS

交通は原則として京都駅を起点にしてあります

KYOTO GARDENS

First Edition October 1995 by Mitsumura Suiko Shoin Co.,Ltd.
Kitayama-dori Horikawa higashi-iru Kita-ku, Kyoto 603 Japan

Photographs : Kenzo Yamamoto
English Translation : Tom Wright
Editor : Yasuhiro Asano(Mitsumura Suiko Shoin Co.,Ltd.)
Editorial Coordinator : Michiko Takagi

 Printed in Japan

庭
京都の名園
INVITATION TO KYOTO GARDENS

１．京都御所小御所御池庭
江戸時代　池泉廻遊
紫宸殿の東北にある小御所の前庭。粒のそろった栗石を敷きつめた美しい浜がひろがるおおらかな庭。

1. Kyoto Imperial Palace
Edo period; stroll garden with pond
This is the front garden of the Minor Palace located to the northeast of the Shishinden. The dark flat "chestnut" stones as they are called, are beautifully laid out, creating a most serene and settled shore.

２．仙洞御所南庭
江戸時代　池泉廻遊
北池と南池を中心にひろがる大庭園。対岸に見える醒花亭茶室の前に，石浜がやわらかな曲線を描いている。

2. Sentō Imperial Palace
Edo period; stroll garden with pond
This large garden centers around a north and south pond.On the opposite bank, in front of the teahouse Seikatei, one can observe the soft curve of the rocky shore.

３．二条城二の丸庭園
桃山時代　池泉廻遊
将軍上洛時の居館として，慶長年間に造営された。中島及び護岸の石組等豪華を極め，桃山を代表する庭園。

3. Nijō Castle
Momoyama period; stroll garden with pond
The Ninomaru structure was built for Tokugawa Ieyasu, and completed in 1603. The garden contains a pond and an unusually gorgeous display of stone grouping prominent during the previous Momoyama period.

4．大仙院方丈東北庭
室町時代　枯山水
大徳寺塔頭。山水画を見るような枯滝から清流は巨石の間をぬい，自然石の橋をくぐって大河の様相を表す。

4. Daisen-in
Muromachi period; *kare sansui* or dry landscape garden
Simulating a grand landscape (though actually only 118 sq. meters), clear water seems to fall from this dry waterfall, wending its way through huge boulders, and dipping under a natural stone bridge into the ocean.

５．龍源院方丈南庭
昭和　枯山水
一枝坦とよばれる庭。中央に石組を配し蓬莱山を表す。図は左方にある亀島で，丸い苔山が独創性を持つ。

5. Ryōgen-in
Showa period; dry landscape garden
Referred to as the Isshidan Garden, the rock setting in the middle of the garden depicts Mt. Horai. The rock on the left depicts a *tortoise island,* a symbol of longevity, while the circular mound of moss symbolizes independence.

６．瑞峯院方丈前庭
昭和　枯山水
白砂に砂紋を描いて波を表し，苔で築山を盛り，巨石を組んで須弥山となし，天地自然を造形化している。

6. Zuihō-in
Showa period; dry landscape garden
The raked white sand looks like waves; with the moss built up, the large stoneworks depict Mt. Sumeru, in Buddhist cosmology, the highest mountain which rises out of the vast ocean. This is a model of heaven and earth-the universe.

７．銀閣寺(慈照寺)庭園
室町時代　池泉廻遊
端正な砂紋の銀沙灘と，円錐状に盛り上げた向月台が，背景の緑や銀閣と鮮やかな景観をなしている。

7. Ginkaku-ji
Muromachi period; stroll garden with pond
The Ginsadan or "Sea of Silver Sand" and the shaved conical white sand mountain, Kogetsudai, form a spectacular backdrop from which to enjoy the panoply of greens and the Silver Pavilion itself.

８．白沙村荘庭園
昭和　池泉廻遊
日本画壇の巨匠，橋本関雪が自ら構成した庭。全国から集めた石仏・石塔が竹林の間に点在し、趣がある。

8, Hakusason-so
Showa period; stroll garden with pond
This garden is the product of Hashimoto Kansetsu, a luminary figure in the Japanese art world. Scattered throughout the bamboo grove are a collection of very fine stone buddhas and gravestones.

9．法然院庭園
江戸時代　池泉廻遊
鹿ケ谷善気山の麓にある閑静な寺。法然上人の開創に始まる。侘びた茅葺きの山門から見た砂壇が印象的。

9. Hōnen-in
Edo period; stroll garden with pond
A quiet secluded temple at the foot of Zenkizan in Shishigatani. Hōnen-in was founded by Saint Hōnen (1133 ~1212). Viewed from the simple yet elegant thatch-roofed gate, the sand mounds on either side of the walkway are very impressive.

10．平安神宮中神苑
明治　池泉廻遊
蒼龍池を中心とした中神苑は，池に珊瑚島があって三条・五条大橋の橋柱を利用した沢飛石が打たれている。

10. Heian Jingū (Shrine)
Meiji period; stroll garden with pond
Soryu Pond forms the centerpiece of this garden. In the middle of the pond there is a small coral island. The stepping stones laid out came from the pillars of the old Sanjo and Gojo bridges.

11．南禅寺方丈庭園
江戸時代　枯山水
東南隅に最も大きな石を据え，西へ次第に低く石組と刈込を配している。白砂を前景とした禅院式枯山水。

11. Nanzen-ji
Edo period; dry landscape garden
Westward from the large rock set in the southeast corner, the rocks decrease in size and a varied arrangement of shrubbery come into view. The foreground of white sand is representative of the Zen dry landscape garden style.

12．天授庵庭園
南北朝時代　枯山水
方丈に至る延段は，正方形と菱形に置いた角石を細長い切石で縁取り，砂紋や苔と見事に調和している。

12. Tenju-an
Nanbokucho period; dry landscape garden
The walkway extending to the abbot's quarter's is itself squared with stones set in a square and diamond pattern. Along the edges, rather thin rectangularly cut stones have been laid. The white sand and emerald green moss lend a harmonious touch to this garden.

13．金地院庭園
江戸時代　枯山水
鶴亀式庭園の代表的傑作で，豪壮な石組・刈込等がひときわ印象的。遠州が設計，庭師賢庭が作庭した。

13. Konchi-in
Edo period; dry landscape garden
A magnificent representative of the tortoise-crane style, the gorgeous stoneworks and shrubbery are especially lovely. This garden was designed by the master gardener Kobori Enshu and put together by gardener Kentei.

14．無鄰菴庭園
明治　池泉廻遊
東山を借景とし，琵琶湖疏水を引いて東部に三段落の滝口を組み，多くの常緑樹を植えている奥深い庭。

14. Murin-an
Meiji period; stroll garden with pond
Borrowing the hills of the Higashiyama for a backdrop, this very exquisite garden draws water by way of the *sosui*, or canal, coming from Lake Biwa. On the eastern side, a three- tiered waterfall has been laid out; the luxuriant evergreens give added depth to the garden.

15．青蓮院庭園
江戸時代　池泉廻遊
小御所から好文亭へと細長く伸びた龍心池には孤形の石橋や滝口が組まれ，楓や萩が風趣を添えている。

15. Shōren-in
Edo period; stroll garden with pond
Ryushin Pond, "Pond of the Dragon's Heart," runs from the Kogosho (or Minor Palace) to the Kobuntei. A crescent shaped bridge with the crest of a waterfall having been built into the design; sugar maples and hagi (bush clover) add special charm.

16．高台寺庭園
江戸時代　池泉廻遊
東山を借景として，仏殿から開山堂へと廊橋が架かり東の臥龍池，西の偃月池に分かれている。

16. Kōdai-ji
Edo period; stroll garden with pond
Borrowing the hills of the Higashiyama for a backdrop, a bridge-like walkway extends from the Butsuden or Buddha Hall to the Kaisando; on the east side lies Garyu Pond and on the west side, Engetsu Pond.

17．智積院庭園
江戸時代　池泉観賞
池水は，書院の床下にも流れ込み，泉殿のような様式となっている。水墨画のような景観の庭である。

17. Chishaku-in
Edo period; pond viewing garden
The pond extending under the veranda of the *shoin* gives an *izumidono* affect, that is, a feeling that the building had been built over a spring. This is also a good vantage point from which to appreciate the garden. The azaleas blooming in April and May are an added bonus.

18．東福寺方丈北庭
昭和　枯山水
北庭は苔と石による市松模様が構成される。主庭の南庭は鋭い巨石を中心に，神仙島をかたどっている。

18. Tōfuku-ji.
Showa period; dry landscape garden
The north garden is a checkerboard pattern called *ichimatsu moyo*, while the main garden, the south garden, centers around several jagged rocks. This one was modeled after an island of mythical religious hermits.

19．芬陀院方丈南庭
室町時代　枯山水
雪舟の作といわれている庭。二重基段の亀島に，剛健な亀頭石が屹立している。鶴島は折鶴を表現する。

19. Funda-in
Muromachi period; dry landscape garden
This garden is attributed to Sesshu. The tortoise island is arranged in two layers with the head of the tortoise thrusting its noble head toward the heavens; the crane island motif is an expression of the folded paper crane, popular in Japanese origami.

20．三千院有清園
江戸時代　池泉廻遊
優雅な阿弥陀三尊をまつる往生極楽院の背景にある，侘びた古建築と調和する幽玄な庭。

20. Sanzen-in
Edo period; stroll garden with pond
This garden is located behind Ojo-gokurakuin where an elegant Amida Buddha and two bodhisattva escorts are enshrined. The old architecture blends harmoniously with the quiet beauty of the garden.

21．蓮華寺庭園
江戸時代　池泉観賞
高野川の水を引いた池泉庭園。豊潤な池は書院の前に広がり，鶴島・亀島を配している。

21. Renge-ji
Edo period; pond viewing garden
This stroll garden with a pond draws water from the Takano River. In front of the *shoin* there is a pond looking refreshingly cool with tortoise and crane islands.

22．修学院離宮上の御茶屋庭園
江戸時代　池泉廻遊
上の御茶屋庭園から浴龍池を望んだ景観。背景の岩倉や鞍馬の山並を借景とし，比類のない壮大さを示す。

22. Shūgaku-in Imperial Villa
Edo period; stroll garden with pond
A splendid view of Yokuryu Pond can be seen from the Kami no Chaya, or Upper Area. With the hills of Iwakura and Kurama in the background, one takes in a view of incomparable grandeur.

23．曼殊院庭園
江戸時代　枯山水
遠州好みの枯山水庭園。枯流れは芝生・植栽をめぐり白砂によって洋々たる水を表している。

23. Manshu-in
Edo period; dry landscape garden
This *kare sansui* or dry landscape garden is in the Kobori Enshu style. Swirling around the mossy carpets of green and variegated trees and hedges, the river of white sand gives rise to feelings of boundless expanse.

24．詩仙堂庭園
江戸時代　枯山水
やわらかな半円形のサツキ，ツツジの刈込の前に，豊かに白砂が展開する。添水の音が冴えた音をたてる。

24. Shisen-dō
Edo period; dry landscape garden
The soft curves of the clipped azaleas harmonize with the river of white sand. A *sozu* or bamboo device that fills with water and then drops with a sharp crack was formerly used to scare away deer.

25．金福寺庭園
江戸時代　枯山水
白砂の庭を埋めるが如くツツジの刈込が重なりあい，その背後に芭蕉が寓居した草庵の屋根が見える。

25. Konpuku-ji
Edo period; dry landscape garden
The garden of white sand seems to become almost buried in the layer upon layer of surrounding azaleas. In the background stands a cottage where the poet Basho lived in temporarily.

26．正伝寺方丈東庭
江戸時代　枯山水
比叡山を借景にし，東を築地塀で仕切り，白砂を敷き右から七五三の石組にツツジなどの刈込を配している。

26. Shōden-ji
Edo period; dry landscape garden
The low whitewashed wall delineates the borrowed scenery of Mt. Hiei from the river of white sand in the foreground. The rounded boulders of green clipped azaleas are arranged in the traditionally lucky order of seven five three.

27．光悦寺太虚庵
江戸時代　枯山水
本阿弥光悦が晩年を過ごした太虚庵の遺跡。光悦垣，又は臥牛垣とよばれる斬新なデザインの竹垣が有名。

27. Kōetsu-ji
Edo period; dry landscape garden
Hon'ami Koetsu spent his final years at Taikyoan. Today only the remains of Taikyoan cottage are left as testimony of Hon'ami's residence during his last years. This garden with its lovely maples is famous for the *Kōetsugaki (Gagyugaki)*, original designs for woven bamboo fences.

28．金閣寺(鹿苑寺)庭園
鎌倉時代　池泉廻遊
鏡湖池畔の有名な金閣は，1987年にその金箔が貼りかえられ，黄金色に眩しく輝き人気をよんでいる。

28. Kinkaku-ji
Kamakura period; stroll garden with pond
The world famous Kinkaku Pavilion, poised at the edge of Kyokoike or "Mirror Pond," was regilded with gold leaf in 1987. In rain, snow, or sunshine, a walk aronud this garden is an unforgettable experience.

29．龍安寺方丈庭園
室町時代　枯山水
白砂を敷き詰めた庭上に15個の石が配置され，砂紋をくっきりと際立させている庭園は，石庭を代表する。

29. Ryōan-ji
Muromachi period; dry landscape garden
The crisp lines of the waves of sand accentuate the fifteen rocks (though all 15 are not visible from any one angle except by the enlightened eye) carefully laid out on the bed of white sand; thought by many to be the best representative of the rock garden style of *kare sansui*.

30．仁和寺庭園
江戸時代　池泉廻遊
宸殿の北に造られたこの庭園は，前面に白砂を置いて，屈曲した池とその向こうに築山を配している。

30. Ninna-ji
Edo period; stroll garden with pond
This garden, constructed on the north side of the *shinden*, is comprised of white sand in the front portion forming a softly winding shore along the edge of the pond, while the other side has been arranged with *tsukiyama*, taking advantage of the natural slope.

31．等持院方丈北庭
江戸時代　池泉廻遊
書院対岸に武家風茶室の清漣亭が見える。芙蓉池の流れは，石橋をくぐり東庭の心字池へと続いている。

31. Tōji-in
Edo period; stroll garden with pond
Across the pond from the *shoin* stands a teahouse, Seirentei, built in the ruling family style. Water from Fuyo Pond flows around a stone bridge into Shinji Pond in the eastern garden.

32．退蔵院方丈西庭
室町時代　枯山水
狩野元信の作と伝えられる庭。枯池を穿ち，中央に蓬萊島を設けて，多数の庭石を豪快に組んでいる。

32. Taizō-in
Muromachi period; dry landscape garden
This garden is said to have been designed by Kano Motonobu. *Horaijima* rises sharply out of the old pond. Numerous rocks have been laid out beautifully in this semi stroll garden.

33．桂春院方丈東庭
江戸時代　枯山水
思惟の庭とも呼ばれる。方丈東側の左右の築山に十六羅漢石，中央に座禅石を配した幽邃閑雅な枯山水。

33. Keishun-in
Edo period; dry landscape garden
This garden is also called the "Meditation Garden." On either side of the *tsukiyama* on the eastern side of the abbot's residence, there stand sixteen *arhat* saints. In the center, there is a meditation rock for sitting zazen—a truly serene and quiet garden.

34．法金剛院庭園
平安時代　池泉廻遊
1970年に発掘復元された庭。青女の滝と呼ばれる石組は，創建当初の遺構をそのままに残している。

34. Hōkongō-in
Heian period; stroll garden with pond
This garden was excavated and restored in 1970. Seinyo no Taki or "Waterfall of the Virgin" has been left just as it was from the establishment of the garden.

35．大沢池(大覚寺)
平安時代　池泉舟遊
嵯峨御所と呼ばれた大覚寺に隣する大沢池は，北嵯峨随一の景勝地で，現存する京都最古の庭園である。

35. Ōsawa Pond at Daikaku-ji
Heian period; *chisen shuyu* or both garden and pond viewed from a boat
Ōsawa Pond lies next to Daikaku-ji, often referred to as the Saga Palace. The garden is the oldest in existence in Kyoto, and certainly ranks as one of the finest views in the North Saga area.

36．祇王寺庭園
明治　露地
『平家物語』で知られる祇王と仏御前の悲話の舞台となった寺。しみじみと奥嵯峨の情緒を語ってくれる。

36. Giō-ji
Meiji period; *roji* or pathway and garden to the teahouse
Giō-ji is the setting for the tragic tale between Gio and Hotoke Gozen in the Tales of Heike. This garden most impressively reveals the powerful passion and emotion buried deeply in Saga.

37．天龍寺庭園
鎌倉時代　池泉廻遊
曹源池を中心とする庭は，嵐山を借景とし，州浜の曲線の美しさや，緊密な構成の滝石組など見所が多い。

37. Tenryū-ji
Kamakura period; stroll garden with pond
This pond garden for strolling and viewing from the veranda centers around Sogen Pond, borrowing the hills of Arashiyama for a backdrop. The beauty of the curves of the sandy beach, the tightly knit composition of the stonework waterfall are among many splendid features of the garden.

38．鹿王院庭園
江戸時代　枯山水
閑静な境内の中で，沙羅双樹が青苔の上に散る姿は，初夏の嵐山の風物詩となるほど興趣つきない。

38. Rokuō-in
Edo period; dry landscape garden
Inside the serenity of the compound one never tires of the scene of the flowers of the sal tree falling on the mossy carpet; the natural poetry of Arashiyama in early summer.

39．梅宮大社神苑
江戸時代　池泉廻遊
さくや池を中心とする神苑は，花菖蒲やかきつばたが咲く初夏が美しい。島には茶室の芦のまろやがある。

39. Umenomiya Taisha (Shrine)
Edo period; stroll garden with pond
A pond is the centerpiece of this garden along with the surrounding fence. The sweet flag and rabbit ear irises are remarkably stunning in early summer. On the island stands a teahouse called Ashi no Maroya.

40．地蔵院方丈前庭
室町時代　枯山水
点在する石は，修行する十六羅漢の姿を表している。平庭式のこの庭は，青い苔と刈込も美しい。

40. Jizō-in
Muromachi period; dry landscape garden
The rocks dotting the garden represent sixteen arhats (Buddhist saints) deep in their training. A *hiraniwa*, or flat garden, the emerald green moss, and the trimmed shrubbery are particularly beautiful.

41．桂離宮松琴亭庭園
桃山時代　池泉廻遊
形のよい石橋で二つの島をつなぎ，松を配して天の橋立を象徴する。岬の先端に燈籠をあしらっている。

41. Katsura Imperial Villa
Momoyama period; stroll garden with pond
An elegantly curved stone bridge joins two islands. The arrangement of pines suggests Ama no Hashidate, one of the three most beautiful sites in Japan. At the tip of the promontory stands a single stone lantern.

42．平等院鳳凰堂庭園
平安時代　池泉廻遊
鳳凰堂前の阿字池は，ゆるやかな曲汀を描き平安期の原型をとどめる。極楽浄土を表現した浄土式庭園。

42. Byōdō-in
Heian period; stroll garden with pond
The soft lines of the shoreline of *Ajiike Pond* in front of the Phoenix Hall are of a pattern limited to the Heian period. The garden is an expression of the Western Paradise of the Jōdo school of Buddhism.

43．勧修寺庭園
平安時代　池泉舟遊
水戸黄門が寄進したといわれる燈籠が有名。氷室池には，初夏に睡蓮や花菖蒲が一面に咲きみだれる。

43. Kanshū-ji
Heian period; *chisen shuyu* or both garden and pond viewed from a boat. The garden is famous for a stone lantern said to have been donated by Mito Kōmon. The water lillies and rabbit ear irises in Himuro Pond bloom in splendid fashion in early summer.

44. 随心院庭園
江戸時代　池泉廻遊
四季を通して美しい庭。特に春には，石楠花や霧島ツツジが咲き誇る。梅雨の頃の苔のつややかさも見どころ。

44. Zuishin-in
Edo period; stroll garden with pond
This garden is beautiful throughout the four seasons, but particularly during the spring when the shakunage (rhododendron) and the kirishima azaleas are in bloom. The luminosity of the moss in the rainy season is unforgettable.

45．城南宮神苑
昭和　池泉廻遊　枯山水
茶亭楽水軒を中心に北側に池泉庭園が，南には豪快な枯山水庭園がひろがる。苔と桜との対照が美しい。

45. Jōnan-gū (Shrine)
Showa period; stroll garden with pond
The north garden, a Muromachi Momoyama period style stroll garden, centers around Rakusuiken, a teahouse. The south garden is a breathtaking dry landscape style *kare sansui*. The green emerald of the moss contrasts beautifully with the blooming cherry trees in spring.

46．酬恩庵方丈北庭
江戸時代　枯山水
北庭の東北隅には雄渾な石組が展開する。巨大な観音石を中心に，深山幽谷を表す。枯山水の傑作といえる。

46. Shūon-an
Edo period; dry landscape garden
In the northeast corner of the garden stand some extremely bold stonework. Centering around an imposing rock called Kannonseki, the stonework is an expression of deep mountains and dark valleys. It is a masterpiece in the dry landscape style.

47．浄瑠璃寺庭園
平安時代　池泉廻遊
阿字池に美しい甍を映す本堂には，九体の阿弥陀如来が祀られている。浄土の仏世界を表現する庭である。

47. Jōruri-ji
Heian period; stroll garden with pond
With an *Ajiike Pond* reflecting the roof tiles of the *hondo* (sanctuary), there are also enshrined nine Amida Nyorai in various postures. The garden is an expression of Amida Buddha's pureland world according to the teachings of the Jōdo school.

拝観料及び拝観時間は1995年9月1日現在

■庭園解説

1．京都御所

御所の御庭としては紫宸殿前の白砂の南庭、さらに清涼殿前庭がある。御池庭は御学問所，御常御殿からの眺めも考慮された御所芸術らしい風格がある庭である。

●宮内庁京都事務所参観係に申し込む（62頁参照）

2．仙洞御所

寛永年間徳川幕府が後水尾上皇のために造営し、小堀遠州が奉行となって築造した。真・行・草の御池に分かれ、それぞれ情趣をあらわし、典雅で品位がある。

●宮内庁京都事務所参観係に申し込む（62頁参照）

3．二条城

小堀遠州らが奉行して作庭したといわれる二の丸庭園の池泉中央の蓬莱島に架かる巨大な石橋や、全体の雄壮なる石組は、華麗な書院と巧みな調和を保っている。

●有料拝観500円　午前9：00～午後4：00

4．大仙院

応仁の乱の直後、古岳宗亘禅師が開創した。石庭は方丈の東北部にあり、土塀に囲まれた狭い空間に大胆な石組で構成されている。宗亘自身の作庭と伝えられる。

●有料拝観400円　午前9：00～午後5：00

5．龍源院

方丈の四方に特色のある庭を持つ。北庭の龍吟庭は室町特有の三尊石組から成る須弥山形式の枯山水。方丈東の東滴壺は大海に落した一滴の波紋を象徴した壺庭。

●有料拝観350円　午前9：00～午後4：30

6．瑞峯院

庭は昭和36年に重森三玲氏が作庭、寄進したもの。前庭は「独座の庭」と呼ばれ、寺号の瑞峯をテーマとした蓬莱山式庭園。方丈の裏には「閑眠の庭」がある。

●有料拝観300円　午前9：00～午後5：00

7．銀閣寺

庭の主要部は錦鏡池で、東求堂前と銀閣前の二つからなり、その接続部分に龍背橋とよぶ自然石の橋がある。総門から玄関への背の高い椿の銀閣寺垣も印象的。

●有料拝観500円　午前8：30～午後5：00

8．白沙村荘

橋本関雪は造庭に情熱を注ぎ、独自な文人風の林泉を完成した。中央に大きな池を穿ち、佗びた茶室を庭内に置いている。白沙村荘前の疏水べりの関雪桜が美しい。

●有料拝観700円　午前10：00～午後5：00

9．法然院

境内には水を表象する砂壇と池泉がある。池に浮かぶ中島は地続きで、中央に阿弥陀三尊を象徴する三尊石が配置され、極楽往生を表す。早春の椿も有名。

●無料拝観（境内のみ）　午前6：00～午後4：00

10．平安神宮

明治28年に創建され、桓武天皇と孝明天皇を合祀している。神苑は西・中・東の三部に分かれ、共に小川治兵衛の作庭である。神苑は国の名勝に指定されている。

●有料拝観500円　午前8：30～午後5：30

11．南禅寺
鎌倉末期に創建され、室町時代には京都五山の筆頭におかれた大禅刹。大方丈は御所の清涼殿を賜ったもので、庭はその南にいとなまれる。「虎の子渡し」の名がある。
●有料拝観350円　午前8:30～午後5:00

12．天授庵
南北朝の作庭だが、明治に改修された。東西二つの池庭を細くつないだ地割や滝口あたりの石組などに、南北朝時代の特色がうかがえる貴重な庭園である。
●有料拝観300円　午前9:00～午後5:00

13．金地院
前面に海洋を表す白砂を敷き、寺内の東照宮を遙拝する長方形の巨大な平面石を据えている。背景は蓬萊石組と幾重にも重なる大刈込で、深山幽谷を表す。
●有料拝観400円　午前8:30～午後5:00

14．無鄰菴
明治の元勲、山縣有朋が自ら設計し、小川治兵衛に作庭させた別荘。三段の滝を落とし、二段の池と二筋の流れを作り、明るくさわやかな自然主義的庭園である。
●有料拝観300円　午前9:00～午後4:30

15．青蓮院
天台宗の門跡寺。池の北端から好文亭への霧島の庭にはツツジや山吹、馬酔木が点植され、秀吉寄進の御輿型燈籠もある。門前の逞しい楠の巨樹も忘れがたい。
●有料拝観400円　午前9:00～午後5:00

16．高台寺
豊臣秀吉夫人・北政所が建仁寺の三江和尚を開山として創建した寺。現存の開山堂と御霊屋は桃山時代の遺構である。霊山を背景としてすぐれた景観を持つ。
●有料拝観500円　午前9:00～午後4:30

17．智積院
書院東方の自然の傾斜を利用し、石組、植栽して築山としている。中央部に枯滝を設け、上方に小さな石橋を架けている。その麓に揚子江になぞらえた池がある。
●有料拝観300円　午前9:00～午後4:30

18．東福寺
京都五山の一つ。本坊方丈の庭は、昭和に重森三玲氏が作庭。四方に変化に富んだ庭がある。その四つの庭は八相成道を表現したところから併せて「八相の庭」と呼ばれる。
●有料拝観300円　午前9:00～午後4:00

19．芬陀院
東福寺塔頭寺院。雪舟寺とも呼ばれる。南庭の他に、円窓からの眺めが趣深い東庭がある。東庭は鶴島を中心に蓬萊の連山を象徴。南庭と共に苔が美しい枯山水。
●有料拝観300円　午前9:00～午後5:00

20．三千院
南北に細長い池中に鶴亀の島を配し、入り組んだ汀をつくっている。雪の季節の三千院は幽境の感がする。この周辺は、石楠花・馬酔木・胡蝶花などが美しい。
●写経拝観500円　午前8:30～午後4:30

21. 蓮華寺

今枝近義が造営した天台宗の寺。鶴島の近くには蓬莱石を水中にたて、樹影に包まれた亀島には木下順庵撰文の碑がある。本堂の前の蓮華寺型燈籠が有名である。

●志納拝観400円　午前9:00〜午後5:00

22. 修学院離宮

三つの御茶屋に分かれる。下の御茶屋は書院の寿月観と茶席の蔵六庵からなり、矢倉燈籠が名高い。中の御茶屋は音羽川の水を引いた遣水が客殿沿いに流れる。

●宮内庁京都事務所参観係に申し込む(62頁参照)

23. 曼殊院

桂離宮を造営された智仁親王の御子の良尚法親王が比叡山麓に移築した寺。鶴島の松の根元にある切支丹系の燈籠と、小書院前の梟の手水鉢が共に名高い。

●有料拝観500円　午前9:00〜午後5:00

24. 詩仙堂

徳川家康の家臣、石川丈山の隠栖の地。漢学に通じた彼は異色ある中国風の庭とした。静寂をやぶる、「ししおどし」と呼ぶ添水の風流な音に心やすまる所である。

●有料拝観400円　午前9:00〜午後5:00

25. 金福寺

元禄時代に鉄舟和尚が復興した禅院。庭は客殿の南、刈込を中心にした簡素なもの。芭蕉にちなむ芭蕉庵や与謝蕪村の墓などの名高い俳諧遺跡がある寺。

●有料拝観300円　午前9:00〜午後5:00

26. 正伝寺

西賀茂の船山の麓の高みにある寺。方丈、唐門は伏見城の遺構と伝えられる。「獅子の子渡し」の庭とも呼ばれる明解簡素な庭園。方丈の山水画の襖絵が有名。

●有料拝観300円　午前9:00〜午後5:00

27. 光悦寺

太虚庵は光悦終焉の茶席で、光悦垣がめぐらされ、秋には萩の花が風趣を添える。庭内には他に三巴亭など幾つかの茶席があり、光悦の墓碑もある。

●有料拝観200円　午前8:00〜午後5:00

28. 金閣寺

葦原島をはじめ多くの岩島を配し、極楽浄土の七宝池になぞられた鏡湖池に三層の金閣が建てられ、北山文化の粋と称される。池の東の夕佳亭は金森宗和の茶席。

●有料拝観400円　午前9:00〜午後5:00

29. 龍安寺

方丈庭園の有名な「虎の子渡し」は、一面の白砂に15の石を七五三に配して、九山八海の須弥山の世界を象徴している。侘び助椿や龍安寺垣、鏡容池も趣がある。

●有料拝観400円　午前8:00〜午後5:00

30. 仁和寺

宇多天皇が造営し、御室御所と称された寺。山裾に壮麗な滝組を設け、築山の東北には、光格天皇ご遺愛の茶席、飛涛亭がある。

●有料拝観400円　午前9:00〜午後4:30

31．等持院

足利尊氏が夢窓国師を開山として創建。後に菩提寺となった。霊光殿には足利15代の木像を安置している。有楽椿、かきつばたなど四季の花にも恵まれている。

●有料拝観400円　午前8：00～午後4：30

32．退蔵院

妙心寺塔頭屈指の寺。方丈西庭は50余坪の地割に展開する。狩野派の山水画を見るようだ。また他に中根金作氏作庭の三段落の滝を構えた池泉観賞式の余香苑がある。

●有料拝観400円　午前9：00～午後5：00

33．桂春院

妙心寺塔頭寺院。方丈を囲んで思惟の庭、清浄の庭、真如の庭、侘の庭からなる。庭に配された樹木や石や苔は大自然の帰一と幽玄の美を語りかけている。

●有料拝観400円　午前8：00～午後5：00

34．法金剛院

双が丘のなだらかな丘陵の東南にある律宗を伝える寺。仁和寺の僧、林賢が作庭した大苑池を中心とした池泉廻遊浄土式庭園。阿弥陀如来像など寺宝も多い。

●有料拝観400円　午前9：00～午後4：00

35．大沢池

中国の洞庭湖を写したといわれる池庭に浮かぶ天神島と菊島の間に庭湖石を設けている。池の北に歌の名所名古曽の滝跡がある。仲秋の名月には舟がでて賑わう。

●無料拝観（大覚寺500円　午前9：00～午後4：30）

36．祇王寺

『平家物語』に登場する往生院の旧跡を明治時代に復興したもの。ささやかな茅葺きの本堂には祇王母娘、仏御前、平清盛の像が安置されている。

●有料拝観300円　午前9：00～午後5：00

37．天龍寺

足利尊氏が後醍醐天皇の菩提のため、夢窓国師を開山として創建。嵐山や愛宕山を借景とし、大方丈、小方丈を望みながら池汀や築山の径を回遊するのも趣深い。

●有料拝観500円　午前8：30～午後5：00

38．鹿王院

山門から中門まで、楓の木におおわれた静寂な敷石がくの字型に続く。客殿からは、嵐山を遠景とした舎利殿を中心に、青苔の庭が簡素な姿をみせてくれる。

●有料拝観300円　午前9：00～午後5：00

39．梅宮大社

酒造の祖神と知られる神社。神苑は、春には150本の八重桜が神池にその姿を映しだし、初夏には色鮮やかな花菖蒲が、神池に群生開花する。

●有料拝観300円（境内無料）午前9：00～午後5：00

40．地蔵院

西山の竹林に包まれているところから、竹の寺とも呼ばれる。山門を入ると閑寂な参道は、まっすぐ竹林の中を通りぬける。方丈に至る敷石がすがすがしい。

●有料拝観400円　午前9：00～午後5：00

41．桂離宮

和漢の芸文に優れた智仁親王が造営した山荘。心字池を中心にした池庭で、三書院・月波楼・松琴亭など巧緻な意匠を凝らした建物と完璧な調和を保っている。

●宮内庁京都事務所参観係に申し込む（62頁参照）

42．平等院

関白藤原頼通が創建した。極楽浄土を表すべく、定朝作の阿弥陀如来像を安置した鳳凰堂が、阿字池に映ずる姿は、藤の花が咲く頃がとりわけ美しい。

●有料拝観400円　午前8：30～午後5：00

43．勧修寺

醍醐天皇が創建した寺で、千有余年の歴史をもつ。庭は周囲の山を借景とし、広い氷室池を中心に展開する。樹齢750年のハイビャクシンや、臥牛石など名物も多い。

●有料拝観400円　午前9：00～午後4：00

44．随心院

小野小町ゆかりの寺。洛巽の苔寺ともいわれるほど、苔が庭一面に密生している。本堂には、三段落の滝が流れており、表書院から見る庭は広々としている。

●有料拝観300円　午前9：00～午後4：30

45．城南宮

庭は戦後、中根金作氏により平安・室町・桃山の三様式を再現して作られた。枯山水の離宮の庭園もある。紅枝垂れ桜、ツツジ、藤の見どころとしても名高い。

●有料拝観400円　午前9：00～午後4：30

46．酬恩庵

一休禅師ゆかりの寺として有名な寺で、一休寺ともいう。方丈の三方に庭が展開する。方丈背後の庭園を主庭として、一休廟前の庭、茶室造の虎丘の庭がある。

●有料拝観400円　午前9：00～午後5：00

47．浄瑠璃寺

山城の南端、加茂町にある。平安期に造営された庭で阿字池がひろがり、対岸の小丘には薬師如来を祀る三重塔が建っている。護岸の石組や州浜の曲線が美しい。

●境内拝観無料（本堂拝観300円）午前9：00～午後5：00

■そのほかの名園　⑴時代・様式 ⑵住所 ⑶拝観方法 ⑷交通

●東本願寺渉成園　⑴平安時代　池泉廻遊⑵下京区正面通間之町東⑶参観券要(無料)　東本願寺参拝接待所にて⑷京都駅前より徒歩　枳殻邸とも呼ぶ。島の石組は豪健で、平安時代の古格がうかがえる。

●西本願寺虎渓の庭　⑴桃山時代　枯山水⑵下京区堀川七条上ル⑶参拝部へ往復ハガキで申し込む⑷市バス西本願寺前下車　豪健な石組､緊張感を漂わす孤状の切り石が、壮重な書院と調和している。

●神泉苑　⑴平安時代　池泉廻遊⑵中京区御池大宮⑶随時無料⑷市バス神泉苑前下車　平安遷都の際、中国の上林苑を模して造営された庭。二条城築城時に大幅に削りとられ、残された池が往時を偲ばせる。

●大徳寺本坊　⑴江戸時代　枯山水⑵北区紫野大徳寺町53⑶非公開⑷市バス大徳寺前下車　臨済宗大徳寺派の総本山。広大な寺域には多くの塔頭がある。非公開だが、定期観光バスのコースにはいっている。

●聚光院　⑴桃山時代　枯山水⑵北区紫野大徳寺町58⑶往復ハガキで申し込む⑷市バス大徳寺前下車　百石の庭と呼ばれる方丈南庭は、長方形の苔庭の生垣にそって多くの石組がみられ、桃山初期の様式を示す。

●高桐院　⑴江戸時代　枯山水⑵北区紫野大徳寺町73⑶有料拝観300円⑷市バス大徳寺前下車　表門から長方形の切り石に縁取られ、簡素な敷石道が続く。南庭は江戸初期の作で、楓を主として野趣に富む。

●孤篷庵　⑴江戸時代　枯山水⑵北区紫野大徳寺町66⑶往復ハガキで申し込む⑷市バス大徳寺前下車　篷とは舟に覆う苫のこと。小堀遠州が孤舟に身を托し晩年を送ろうとする心境を庵号としたもの。

●芳春院　⑴江戸時代　池泉廻遊⑵北区紫野大徳寺町55⑶非公開⑷市バス大徳寺前下車　飽雲池の対岸に金閣・銀閣・飛雲閣と並んで「京の四閣」と称される呑湖閣があり、打月橋が渡されている。

●南禅院　⑴鎌倉時代　池泉廻遊⑵左京区南禅寺福地町⑶有料拝観350円⑷市バス永観堂前下車　亀山上皇離宮。方丈庭は鎌倉時代の庭の特色をよく残して、心字池を浮かべ、格調高い蓬萊石組がある。

●知恩院　⑴鎌倉時代　池泉廻遊⑵東山区新橋通東大路東入ル⑶有料拝観400円⑷市バス知恩院前下車　浄土宗の総本山。大小方丈の庭園は山際の狭小な地を利用して、優雅な趣がある。

●清水寺成就院　⑴江戸時代　池泉観賞⑵東山区清水１⑶市バス清水道下車⑷庭園非公開　音羽山の樹林を背景に美しい刈込垣をめぐらし、中島に烏帽子岩燈籠を据えている。「月の庭」と称される。

●龍吟庵　⑴昭和　枯山水⑵東山区本町15⑶非公開⑷JR東福寺駅下車　正面の庭は白砂敷。西庭は寺号を象徴して、龍頭を表す青石を立て、黒砂により雲紋を描いて龍を表現する。

●天得院　(1)江戸時代　枯山水(2)東山区本町15(3)非公開(4)JR東福寺駅下車　家康が難癖をつけた、「国家安康君臣豊楽」の鐘の撰文で知られる寺。庭は桃山様式による苔の中の閑雅な石組が美しい。

●光明院　(1)昭和　枯山水(2)東山区本町15(3)志納金(4)JR東福寺駅下車　重森三玲氏作の「波心の庭」で知られる。白砂の枯池に三尊石組などを配し、寺号の光明に因んで斜線状に多くの石が並べられている。

●寂光院　(1)江戸時代　池泉観賞(2)左京区大原草川町17(3)有料拝観500円(4)京都バス三千院前下車　『平家物語』の大原御幸で有名な建礼門院隠栖の地。こじんまりとした境内は、桜、紅葉の名所として名高い。

●円通寺　(1)江戸時代　枯山水(2)左京区岩倉幡枝町389(3)有料拝観400円(4)市バス深泥池下車　比叡山を借景とした寛闊さは比類がない。山茶花・椿などの生垣の前に多くの石を伏せ、苔を敷いた前景も美しい。

●実相院　(1)明治　池泉観賞(2)左京区岩倉上蔵町(3)有料拝観500円(4)市バス岩倉実相院下車　池の中央に豪快な自然石を据えて橋としている。滝口は楓に覆われ、幽玄閑寂な趣がある。

●厭離庵　(1)鎌倉時代　枯山水(2)右京区嵯峨二尊院門前(3)電話で申し込む 861-2508志納(4)JR嵯峨駅下車　愛宕街道半ば、竹林に包まれた尼寺。小さな門から書院への竹垣に囲まれた敷石が閑寂で美しい。

●二尊院　(1)昭和　露地(2)右京区嵯峨二尊院門前(3)有料拝観500円(4)JR嵯峨駅下車　小倉山を背景にした閑寂な茶室、御園亭への露地が美しい。本堂前の広々とした龍神遊行の庭も見逃せない。

●大河内山荘　(1)昭和　廻遊式(2)右京区嵯峨小倉山田淵山町(3)有料拝観800円(4)JR嵯峨駅下車　一世を風靡した剣優、大河内伝次郎が、保津川の渓流を眼下にする小倉山の一峰に構えた雄大な廻遊式庭園。

●西芳寺（苔寺）　(1)鎌倉時代　池泉廻遊・舟遊・枯山水(2)西京区松尾神が谷町56(3)往復ハガキで申し込む　志納(4)京都バス苔寺前下車　名園中の名園。黄金池を中心とした池泉と、山腹の枯山水の上下二段に分かれている。池には中島・夜泊石など配置され、南岸には利休の次子の少庵が建てた湘南亭がある。百種に近い鮮苔類が庭を覆い、雨の日はとりわけ美しい。金閣寺、銀閣寺など多くの庭の参考にもされた。

●三宝院　(1)桃山時代　池泉観賞(2)伏見区醍醐東大路町22(3)有料拝観500円(4)市バス醍醐三宝院下車　真言宗総本山醍醐寺の本坊。庭は豊臣秀吉が大観桜会に際して思い立ち、竹田梅松軒を奉行として造営された。作庭は庭師賢庭が従ったといわれる。書院の前に展開する池には鶴島・亀島が作られ、それぞれ趣のある石橋を渡している。向う岸の名石、藤戸石を中尊とする三尊石組が景観をひきしめる豪華な名園である。

■庭園用語解説

- **石庭（いしにわ）** 石組本位の庭で、白砂・苔などを併せて使う。
- **石組（いわぐみ）** 石を組みあわせて滝・島・山などを表現すること。日本庭園の造形の根幹をなす。
- **亀島（かめしま）** 蓬萊庭園の池庭、または枯山水の主要部に作る島。一石または多数の石で組む。
- **刈込（かりこみ）** 樹木を一定の形に剪定して、庭の景として使う。遠山や海洋に浮かぶ島等を表現する。
- **枯池（かれいけ）** 庭園で水を用いない池。枯山水様式の一つ。
- **枯山水庭園（かれさんすい）** 水を用いず白砂・石・苔などで、池や海を象徴する様式。禅宗の影響で中世以降発達。
- **護岸（ごがん）** 池や流れなどの岸を保護するための石組。
- **砂紋（さもん）** 枯山水の砂に熊手で波の模様を描いたもの。
- **三尊石（さんぞんいわ）** 仏像の三尊様式に基づいたもので、中央に大きな中尊石、左右に小さな脇侍石を据えて構成。
- **沢渡り（さわたり）** 池中や流れを渡るために水中に平石を配置して、それを渡るように仕組んだもの。
- **借景式庭園（しゃくけい）** 庭園の外の自然を庭園の景の助けとしたもの。円通寺の比叡山、天竜寺の嵐山が有名。
- **縮景式庭園（しゅくけい）** 名所の風景を縮小して庭園に取り入れること。桂離宮の松琴亭前の天の橋立が有名。
- **須弥山庭園（しゅみせん）** 仏教の世界観で、理想世界の中心にそびえる高い山をさし、周囲に九山八海をめぐらす。庭では石組の中央に立石をもって表現。
- **浄土式庭園（じょうど）** 極楽浄土を表現したもの。阿弥陀堂前に阿字池を展開した平等院や浄瑠璃寺が有名。
- **地割（じわり）** 庭の根本設計とでもいうべきもので、庭の設計にしたがって、池の形や島の配置方法、築山の設け方、主要石の配置など大体の計画をいう。
- **添水（そうず）** 僧都（そうず）とも書く。詩仙堂の庭にみられる。水を竹筒に導き、その作用で石の頭をたたき音をだす。
- **池泉式庭園（ちせん）** 池に滝、島などを設けた庭で三様式ある。
  1. 舟遊式（しゅうゆう） 舟を浮かべて観賞する庭。
  2. 廻遊式（かいゆう） 池の周囲をめぐって観賞する庭。
  3. 観賞式（かんしょう） 書院等の室内から観賞する庭。
- **築山（つきやま）** 土砂や石で築いたり、自然の小丘を取り組んだり、枯山水では石や樹木で表現する山のこと。
- **壺庭（つぼにわ）** 坪庭とも書く。四方を囲われた中庭のこと。
- **鶴島（つるしま）** 蓬萊庭園の局部で、亀島に対する鶴形の島。立石を一個又は二個島の中央に立て抽象的に構成。
- **飛石（とびいし）** 庭の通路として打つ石。庭園美の要素となる。
- **延段（のべだん）** 敷石の一種。路地における苑路の舗装方法。
- **平庭（ひらにわ）** 池も築山もなく、平地に作られた庭のこと。
- **蓬萊庭園（ほうらい）** 神仙思想によって、神仙の住む霊山を池庭のなかに型取ったもの。金閣寺にみられる。
- **遣水（やりみず）** 庭に導かれる細い水の流れ。
- **龍門石（りゅうもんせき）** 滝口に据える石のこと。
- **露地（ろじ）** 茶亭に至る道に展開する庭のこと。

■御所・離宮参観手続き

宮内庁が管理している京都御所・仙洞御所・修学院離宮・桂離宮の参観を希望する場合、次の要領で参観願書を記入し、宮内庁京都事務所参観係まで郵送する。または、窓口にて備え付けの申込用紙に記入し提出する。

○宮内庁京都事務所参観係　075(211)1215

1．京都御所

●参観資格

成年者と成年者に同伴、引率された未成年者に許可され、一通の願書で９名まで申し込める。

●参観希望月日について

希望月日及び時間を記入する。(午前９時・11時・午後１時30分・３時)

●申込書の受付

郵送—参観希望日の３か月前の初日から希望日の１か月前までの消印のあるもの。(例)参観希望日が５月31日とすれば、２月１日から４月30日(消印)のあるもの。

窓口—参観希望日の３か月前から、希望日の前日まで。

2．仙洞御所・修学院離宮・桂離宮

●参観資格

成年者に限る。一通の願書で４名まで申し込める。

●参観希望月日について

参観希望月日を第1希望、第2希望、第3希望の順に記入する。

●申込書の受付

郵送—参観希望日の３か月前の初日から希望日の２か月前の末日までの消印のあるもの。(例)参観希望月が５月とすれば、２月１日から３月31日(消印)のあるもの。

窓口—参観希望日の３か月前の月の初日から、２か月前の月の末日まで。

●参観休止日

1・2・5の土曜日の午後。2・4の土曜日。日曜日。国民の祝日。12月25日から翌年の１月25日まで。行事が行われる日。

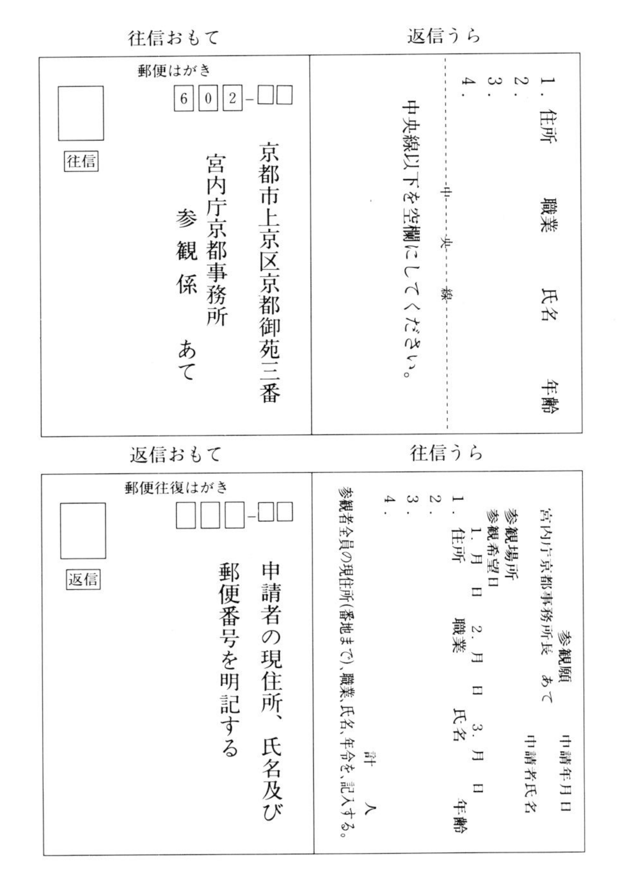

往信おもて

郵便はがき

602-

往信

京都市上京区京都御苑三番

宮内庁京都事務所

参観係　あて

返信うら

1. 住所　職業　氏名　年齢

2.

3.

4.

中央線以下を空欄にしてください。

返信おもて

郵便往復はがき

返信

申請者の現住所、氏名及び郵便番号を明記する

往信うら

参観願

宮内庁京都事務所長　あて

申請年月日

申請者氏名

参観場所

参観希望日　1. 月　日　2. 月　日　3. 月　日

1. 住所　職業　氏名　年齢

2.

3.

4.

計　人

参観者全員の現住所(番地まで)、職業、氏名、年令を、記入する。

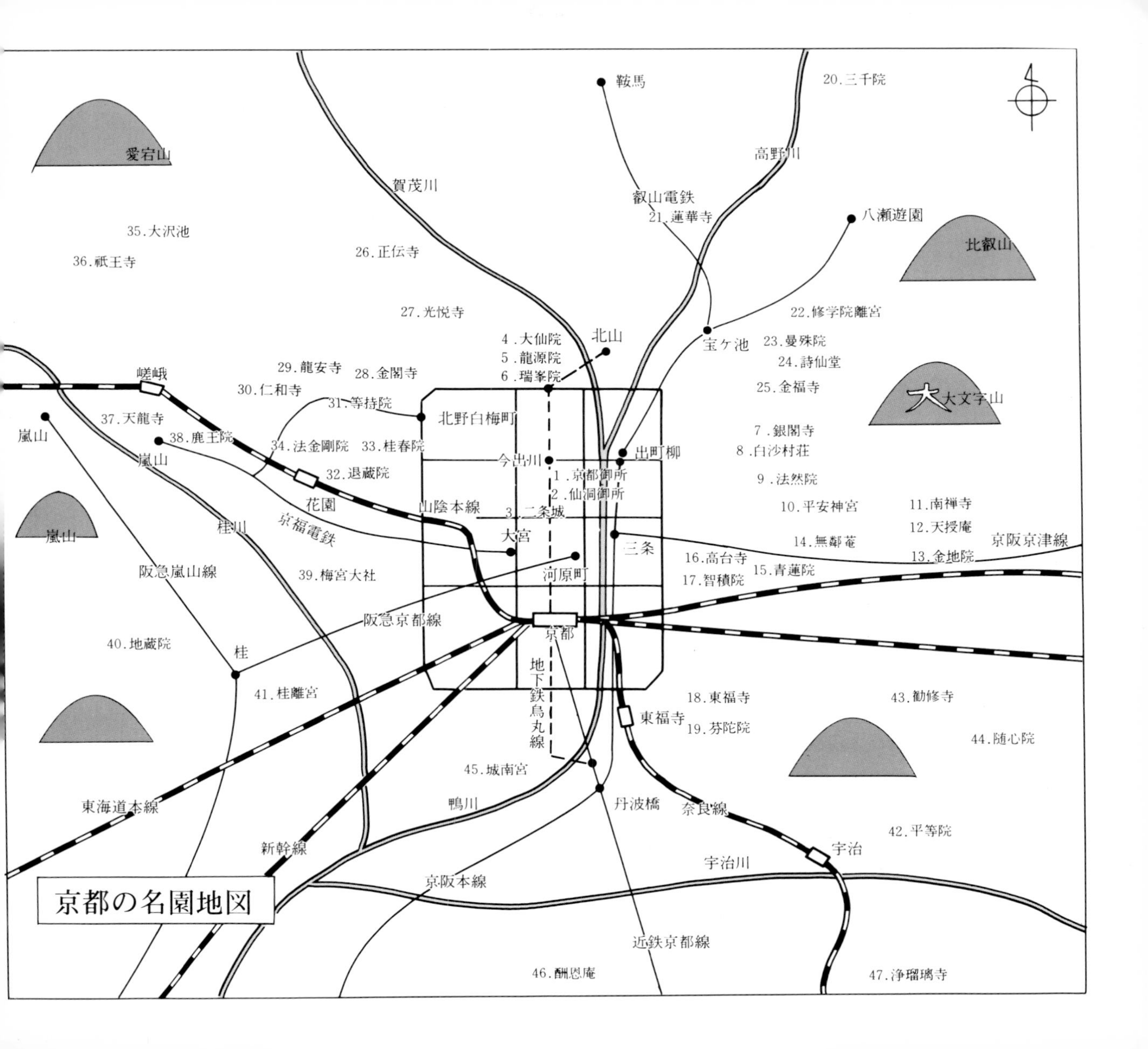
京都の名園地図
鞍馬
20.三千院
高野川
賀茂川
叡山電鉄
21.蓮華寺
八瀬遊園
愛宕山
比叡山
35.大沢池
36.祇王寺
26.正伝寺
27.光悦寺
22.修学院離宮
宝ケ池
23.曼殊院
24.詩仙堂
25.金福寺
北山
4.大仙院
5.龍源院
6.瑞峯院
29.龍安寺
28.金閣寺
30.仁和寺
31.等持院
嵯峨
大文字山
北野白梅町
37.天龍寺
38.鹿王院
34.法金剛院
33.桂春院
7.銀閣寺
8.白沙村荘
出町柳
嵐山
今出川
1.京都御所
2.仙洞御所
32.退蔵院
9.法然院
花園
山陰本線
10.平安神宮
11.南禅寺
12.天授庵
3.二条城
京福電鉄
桂川
大宮
14.無鄰菴
京阪京津線
三条
16.高台寺
13.金地院
阪急嵐山線
39.梅宮大社
河原町
17.智積院
15.青蓮院
阪急京都線
京都
40.地蔵院
桂
地下鉄烏丸線
41.桂離宮
18.東福寺
43.勧修寺
東福寺
19.芬陀院
44.随心院
45.城南宮
東海道本線
鴨川
丹波橋
奈良線
42.平等院
新幹線
宇治
宇治川
京阪本線
近鉄京都線
46.酬恩庵
47.浄瑠璃寺

庭　*Kyoto Gardens*

1995年10月10日新装版一刷発行

写　真　山本建三
英　訳　トム・ライト
編　集　光村推古書院編集部
発行者　本田欽三
発行所　光村推古書院株式会社
603　京都市北区北山通堀川東入
PHONE 075(493)8244
FAX　075(493)6011

印　刷　日本写真印刷株式会社

山本建三（やまもとけんぞう）略歴

1925年、大阪府高槻市に生まれる。
1962年、株式会社京都アド・フォトを創立。現在にいたる。
1959年、東京で第一回個展を開催、以来各地で50数回の写真展を開催。
著書「京都乙訓の里」「丹波路」「枯山水」「京・洛外の四季」「京の意匠庭園」「京都撮影地80選」「京洛四季」「嵯峨野周辺」「大原周辺」「京西山周辺」「京洛南周辺」「京東山周辺」「京の自然霧」「京の撮影マップ」「京洛和歌」「京都パノラマ-全三巻」「竹」「信州安曇野」「奥飛驒山河」など多数。
日本写真家協会会員、日本広告写真家協会会員。

スタジオ-〒617 京都府向日市寺戸町山縄手23　TEL 075-933-3031
山本建三写真常設会場-大阪市北区豊崎5-602 北梅田大宮ビル1階

Mitsumura Suiko Shoin